Wierszyki
4-latka

SBM
WYDAWNICTWO

Spis treści

Stary niedźwiedź

Stary niedźwiedź mocno śpi,
My się go boimy,
Na palcach chodzimy,
Jak się zbudzi to nas zje.
Pierwsza godzina — niedźwiedź śpi.
Druga godzina — niedźwiedź chrapie.
Trzecia godzina — niedźwiedź łapie!

Jedzie pociąg z daleka

Jedzie pociąg z daleka,
na nikogo nie czeka,
Konduktorze łaskawy,
zabierz nas do Warszawy!

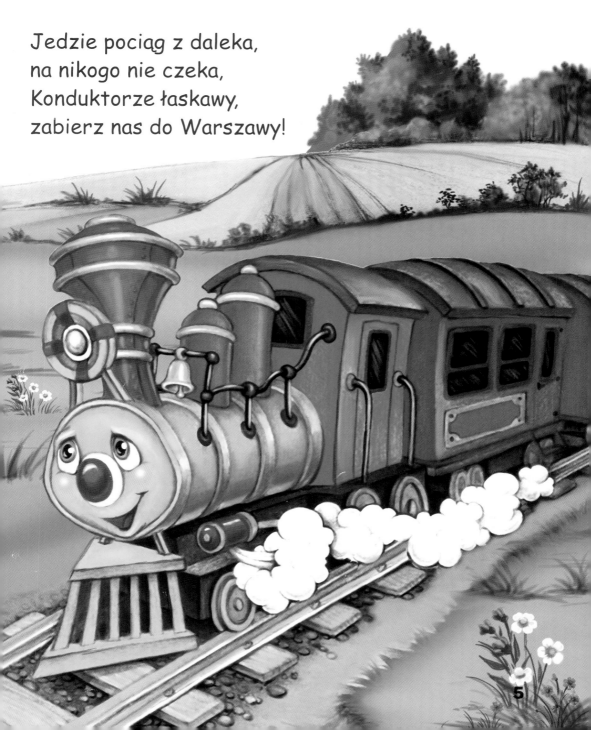

Nie chcę cię znać

Nie chcę cię, nie chcę cię, nie chcę cię znać,
chodź do mnie, chodź do mnie, rączkę mi dać,
prawą mi daj, lewą mi daj
i już się na mnie nie gniewaj,
prawą mi daj, lewą mi daj
i już się na mnie nie gniewaj.

Jawor, jawor

Jawor, jawor,
Jaworowi ludzie,
Co wy tu robicie?
Budujemy mosty
Dla pana starosty.
Tysiąc koni przepuszczamy,
A jednego zatrzymamy.

Siedzi anioł w niebie

Siedzi anioł w niebie,
Pisze list do ciebie.
Jakim atramentem on pisze?
Jak go masz, to mi zaraz go pokaż.

Idzie rak

Idzie rak
nieborak.
Czasem — naprzód,
czasem — wspak.
Gdy ugryzie,
będzie znak.

Tak pan jedzie po obiedzie

Tak pan jedzie po obiedzie,
sługa za nim ze śniadaniem.
Tak pan, tak pan, tak pan,
Tak sługa, tak sługa, tak sługa.

Deszczyk pada, słońce świeci

Deszczyk pada, słońce świeci,
czarownica masło kleci.
Co ukleci, wnet zajada,
myśli, że to czekolada.
Zaraz ciebie poczęstuje,
jeśli masz w dzienniku dwóje.
Masz? — Wy — pa — dasz!

Ten pierwszy
to dziadziuś

Ten pierwszy to dziadziuś,
A obok — babusia.
Największy to tatuś,
A przy nim mamusia.
A to jest dziecinka mała
Tralalala lalala...
A to — moja rączka cała
Tralalala lalala...

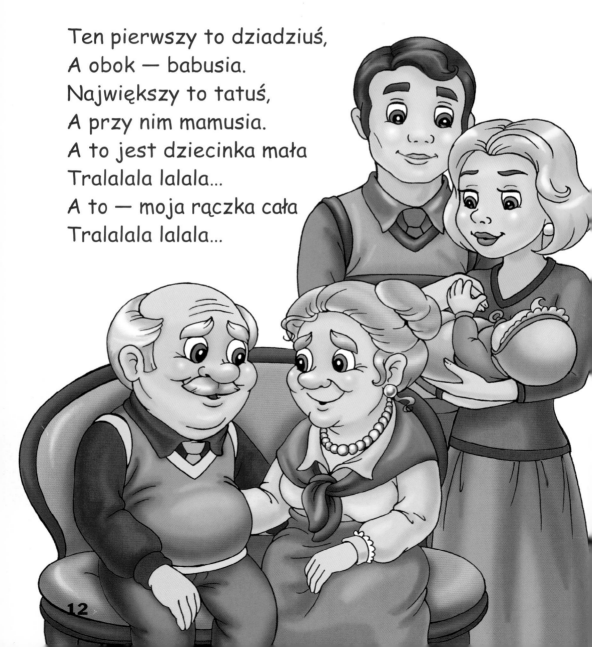

Kółko graniaste

Kółko graniaste,
Czworokanciaste,
Kółko nam się połamało,
Cztery grosze kosztowało,
A my wszyscy bęc!

Misia, Bela

Traf, Traf, Misia, Bela,
Misia, Kasia, Kafacela,
Misia a, Misia be,
Misia, Kasia, Kaface.

Sroczka kaszkę warzyła

Sroczka kaszkę warzyła,
Dzieci swoje karmiła:

Pierwszemu dała na miseczce,
drugiemu dała na łyżeczce,
trzeciemu dała w garnuszeczku,
czwartemu dała w dzbanuszeczku,
a piątemu nic nie dała
i frrrrrr... do lasu poleciała.

Tosi, tosi łapci

Tosi, tosi łapci, pojedziem do babci,
babcia da nam kaszki, a dziadzio okraszki.
Tosi, tosi łapci, pojedziem do babci,
babcia da nam serka, a dziadek cukierka.
Tosi, tosi łapci, pojedziem do babci,
od babci do cioci, ciocia da łakoci.
Tosi, tosi łapci, pojedziem do babci,
od babci do mamy, mama da śmietany
Tosi, tosi łapci, pojedziem do babci,
od babci do taty, jest tam pies kudłaty.

(opracowała: Zofia Rogoszówna)

Kiciu, kiciu, kiciu miła

— Kiciu, kiciu, kiciu miła,
powiedz, kiciu, gdzieś ty była?
— Miau, miau, w ogródeczku,
miau, miau, przy pieseczku.
— Kiciu, kiciu, kiciu miła,
gdzieś ty bródkę umoczyła?
— Miau, miau, w komóreczce,
miau, miau, na półeczce.
— Toś ty mleko piła z miski?
A psik, kiciu, idź na myszki!

(opracowała: Zofia Rogoszówna)

17

W słoneczku

A jak będzie słońce i pogoda, słońce i pogoda,
pobiegniemy razem do ogroda,
pobiegniemy razem do ogroda.

Pobiegniemy boso, boso, boso, boso, boso, boso
przez trawniczki operlone rosą,
przez trawniczki operlone rosą.

Będziemy zrywać białe stokroteczki, białe stokroteczk
będziem śpiewać wesołe piosneczki,
będziem śpiewać wesołe piosneczki.

(opracowała: Zofia Rogoszówna)

18

Skrzypki Kasine

Miała Kasieńka skrzypki jedwabne
i grała na nich piosenki ładne,
oj grała, śpiewała,
kiedy swoje białe gąski pasała.

Oj grała, grała i pogubiła.
— Cóż ja nieszczęsna będę robiła?
Skrzypeczki, skrzypeczki,
oddajcież mi moje białe gąseczki.

Pobiegł Jasienio przez las w dolinę
i znalazł białe gąski Kasine.
Kasieńko! Gąski masz.
Grajże teraz na skrzypeczkach, póki czas!

(opracowała: Zofia Rogoszówna)

Chodzi lisek koło drogi

Chodzi lisek koło drogi
Cichuteńko stawia nogi,
Cichuteńko się zakrada,
Nic nikomu nie powiada.
Chodzi lisek koło drogi,
Nie ma ręki ani nogi,
Kogo lisek przyodzieje,
Ten się nawet nie spodzieje.
Chodzi lisek koło drogi,
Nie ma ręki ani nogi,
Trzeba liska pożałować,
Kromkę chleba mu darować.

My jesteśmy krasnoludki

My jesteśmy krasnoludki,
Hopsa sa, hopsa sa,
Pod grzybkami nasze budki,
Hopsa, hopsa sa,
Jemy mrówki, żabkie łapki,
Oj tak tak, oj tak tak,
A na głowach krasne czapki,
To nasz, to nasz znak.

Gdy ktoś zbłądzi, to trąbimy,
Trutu tu, trutu tu,
Gdy ktoś senny, to uśpimy,
Lulu lulu lu,
Gdy ktoś skrzywdzi krasnoludka,
Ajajaj, ajajaj,
To zapłacze niezabudka,
Uuuuu.

Pojedziemy w cudny kraj

Maria Konopnicka

Patataj, patataj,
Pojedziemy w cudny kraj!
Tam, gdzie Wisła modra płynie,
Szumią zboża na równinie.
Pojedziemy, patataj,
A jak zowie się ten kraj?
A jak ciebie ktoś zapyta:
Kto ty taki, skąd ty rodem?
Mów, żeś z tego łanu żyta,
Żeś z tych łąk, co pachną miodem.
Mów, że jesteś z takiej chaty,
Co piastowską chatą była.
Żeś z tej ziemi, której kwiaty
Gorzka rosa wykarmiła.

Nasza czarna jaskółeczka

Maria Konopnicka

Nasza czarna jaskółeczka
Przyleciała do gniazdeczka
Przez daleki kraj,

Bo w tym gniazdku się rodziła,
Bo tu jest jej strzecha miła,
Bo tu jest jej raj!

A ty, czarna jaskółeczko,
Nosisz piórka na gniazdeczko,
Ścielesz dziatkom je!

Ścielże sobie, ściel, niebogo,
Chłopcy pójdą swoją drogą,
Nie ruszą go, nie!

Taniec

Maria Konopnicka

Dalej raźno, dalej w koło,
Dalej wszyscy wraz!
Wszak wyskoczyć i zaśpiewać
Umie każdy z nas.

Graj nam, skrzypku, krakowiaka,
A zaś potem kujawiaka
I mazura graj!

Jak się dobrze zapocimy,
To polskiego się puścimy,
Toż to będzie raj!

Dalej raźno, dalej w koło,
Dalej wszyscy wraz!
Wszak wyskoczyć i zaśpiewać
Umie każdy z nas.

Poranek

Maria Konopnicka

Minęła nocka, minął cień,
Słoneczko moje, dobry dzień!
Słoneczko moje kochane,
W porannych zorzach rumiane.

Minęła nocka, minął cień,
Niech się wylega w łóżku leń,
A ja raniuchno dziś wstanę,
Zobaczę słonko rumiane.

Pszczółki

Maria Konopnicka

Brzęczą pszczółki nad lipiną
Pod błękitnym niebem;
Znoszą w ule miodek złoty,
Będziem go jeść z chlebem.

A wy, pszczółki pracowite,
Robotniczki boże!
Zbieracie wy miody z kwiatów,
Ledwo błysną zorze.

A wy, pszczółki, robotniczki,
Chciałbym ja wam sprostać,
Rano wstawać i pracować,
Byle miodu dostać!

Ogródek

Maria Konopnicka

W naszym ogródeczku
Są tam śliczne kwiaty:
Czerwone różyczki
I modre bławaty.

Po sto listków w róży,
A po pięć w bławacie;
Ułożę wiązankę
I zaniosę tacie.

A tata się spyta:
— Gdzie te kwiaty rosną?
— W naszym ogródeczku,
Gdziem je siała wiosną.

Ślizgawka

Maria Konopnicka

Równo, równo, jak po stole,
Na łyżewkach w dal...
Choć wyskoczy guz na czole,
Nie będzie mi żal!

Guza nabić — strach nieduży,
Nie stanie się nic;
A gdy chłopiec zawsze tchórzy,
Powiedzą, że fryc!

Jak powiedzą, tak powiedzą,
Pójdzie nazwa w świat;
Niech za piecem tchórze siedzą,
A ja jestem chwat!

Obchodź się łagodnie ze zwierzętami

Stanisław Jachowicz

Zwierzątkom dokuczać to bardzo zła wada.
I piesek ma czucie, choć o tym nie gada.
Kto z pieskiem się drażni, ciągnie go za uszko,
To bardzo niedobre musi mieć serduszko.

Płaszek w gościnie

Stanisław Jachowicz

Puk, puk, ptaszek do okienka:
— Niech tam otworzy panienka;
Bo to teraz straszna zima,
Nigdzie i ziarneczka nie ma.
I ptaszynie otworzyli,
Ogrzali i nakarmili,
A ptaszyna, wdzięczna za to,
Śpiewała im całe lato.

Andzia

Stanisław Jachowicz

— Nie rusz Andziu, tego kwiatka,
Róża kole — rzekła matka.
Andzia mamy nie słuchała,
Ukłuła się i płakała.

Zaradź złemu zawczasu

Stanisław Jachowicz

— Zaszyj dziurkę, póki mała —
Mama Zosię przestrzegała.
Ale Zosia, niezbyt skora,
Odwlekała do wieczora.
Z dziurki dziura się zrobiła.
A choć Zosia i zaszyła,
Popsuła się suknia cała.
Źle, że matki nie słuchała.

Żółw i mysz

Ignacy Krasicki

Że zamknięty w skorupie niewygodnie siedział,
Żałowała mysz żółwia; żółw jej odpowiedział:
„Miej ty sobie pałace, ja mój domek ciasny;
Prawda, nie jest wspaniały — szczupły, ale własny".

Jaskółka

Dorota Strzemińska-Więckowiak

Kto na niebie kręci kółka?
Mała, czarna to jaskółka.
Kiedy fruwa bardzo nisko,
Wówczas deszcz jest pewnie blisko.

Kropeczki biedroneczki

Dorota Strzemińska-Więckowiak

Na skrzydełkach są kropeczki
U czerwonej biedroneczki.
Choć małego są rozmiaru,
To dodają dużo czaru.

Czekolada

Dorota Strzemińska-Więckowiak

Jest królową wśród słodyczy,
Kilka małych kostek liczy.
To w tabliczce czekolada,
Smak jej pyszny znać wypada!

Mycie zębów

Dorota Strzemińska-Więckowiak

Piękny, zdrowy uśmiech masz,
Gdy o ząbki co dzień dbasz.
Nie wymaga to wysiłku —
Szczotkuj zęby po posiłku.

Muzyka świerszcza

Dorota Strzemińska-Więckowiak

Pośród trawy brzmi muzyka —
To świerszcz mały głośno cyka.
Dźwięk dla ucha piękny, błogi,
Grają świerszcza długie nogi.

Rybki

Dorota Strzemińska-Więckowiak

W wodzie rzeki słychać pluski,
Mienią się w niej rybie łuski.
A u rybek, zamiast kości,
Są jak igły cienkie ości.

Dmuchawce

Dorota Strzemińska-Więckowiak

Widział może ktoś dmuchawce?
Ich nasionka, jak latawce,
Lecą w górę nad łąkami,
Razem z wiatru podmuchami.

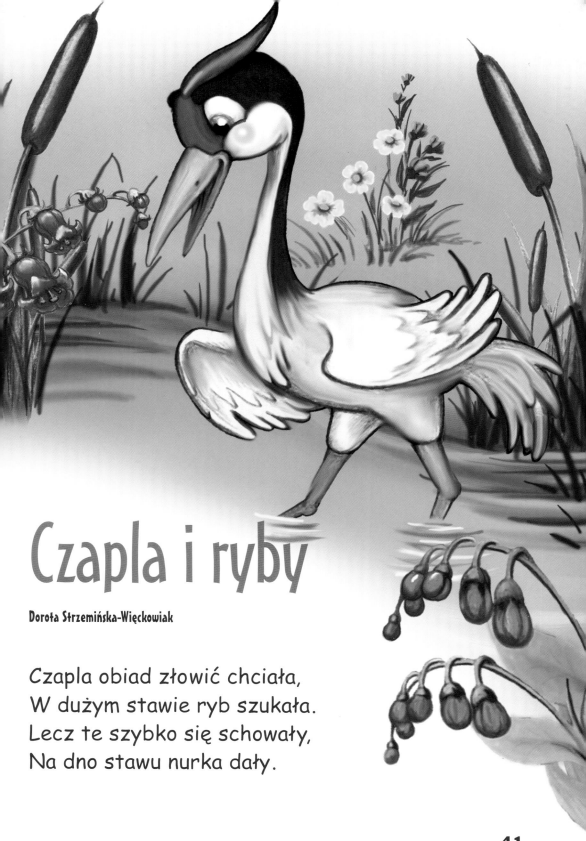

Czapla i ryby

Dorota Strzemińska-Więckowiak

Czapla obiad złowić chciała,
W dużym stawie ryb szukała.
Lecz te szybko się schowały,
Na dno stawu nurka dały.

Żuraw i żurawina

Dorota Strzemińska-Więckowiak

Dziwną ma pan żuraw minę,
Połknął bowiem żurawinę.
A że kwaśna bardzo była,
Dziób żurawia wykrzywiła.

Chrząszcz

Dorota Strzemińska-Więckowiak

Wszedł malutki leśny chrząszcz,
W długiej trawy bujny gąszcz.
Tylko pancerz mu się mieni,
Barwą czerni i zieleni.

Koń w butach

Dorota Strzemińska-Więckowiak

Jakie zwierzę nosi buty?
Konik, który jest podkuty.
Bo podkowa dla kopyta
To ochrona wyśmienita.

Szarobure dwa koteczki

Dorota Strzemińska-Więckowiak

Biegną szybko do miseczki
Szarobure dwa koteczki.
Wiedzą, że w miseczce czeka
Na nie zawsze trochę mleka.

Kto zerka z lusterka?

Dorota Strzemińska-Więckowiak

Któż to taki na was zerka,
Gdy patrzycie do lusterka?
W lustereczku wszak widzicie
Siebie samych — swe odbicie.

Burza

Dorota Strzemińska-Więckowiak

Kiedy niebo groźnie brzmi?
Wtedy, kiedy głośno grzmi.
Gdy na niebie wielka burza,
Jest błyskawic liczba duża.

Rosa

Dorota Strzemińska-Więckowiak

Wczesnym rankiem stopy bose
Wejdą w trawę prosto w rosę.
Włóż więc buty dla wygody
Oraz by się ustrzec wody.

Dobra rada

Dorota Strzemińska-Więckowiak

Nie mówimy, kiedy jemy,
Kęs dokładnie też gryziemy —
Tak nas brzuszek nie rozboli.
Zjedz i wówczas mów do woli.

Zima

Dorota Strzemińska-Więckowiak

Załóż czapkę, rękawiczki,
Zapnij kurtki też guziczki.
W ciepłym stroju, gdy jest zima,
Mroźny chłód się nas nie ima.

Ptaszki

Dorota Strzemińska-Więckowiak

W drzew koronie brzmi muzyka —
Słychać piękny śpiew słowika.
I choć ptaszków jest tak wiele,
Jego są najsłodsze trele.

Lizaki

Dorota Strzemińska-Więckowiak

Na patyku są lizaki,
Mają pyszne, słodkie smaki.
Różne są ich piękne wzory,
I wielkości, i kolory.

Wielka góra

Dorota Strzemińska-Więckowiak

Popatrz na szczyt wielkiej góry —
Sięga niemal aż pod chmury.
Z niego nawet — jeśli trzeba —
Można ściągnąć gwiazdkę z nieba.

53

Sport to zdrowie

Dorota Strzemińska-Więckowiak

Wsiądź na rower, załóż rolki,
Wskocz na deskę deskorolki
Lub po prostu, na swych nóżkach,
Chodź po parku długich dróżkach.

Papuga

Dorota Strzemińska-Więckowiak

Czy wiesz może, jaki ptak
Dziób zagięty ma jak hak?
Naśladuje nasze słowa?
To papuga kolorowa!

Strażak

Dorota Strzemińska-Więckowiak

Strażak szybko gna z pomocą,
Gasi pożar dniem i nocą.
Jest to praca dużej wagi —
Wielkiej trzeba tu odwagi!

Warzywa i owoce

Dorota Strzemińska-Więckowiak

Pomidory, jabłka, gruszki,
Nać zielona od pietruszki,
Moc witamin w sobie mają,
Które dzieciom zdrowie dają.

Kangury

Dorota Strzemińska-Więckowiak

Australijskie dwa kangury
Skaczą żwawo „hop" do góry.
A na brzuszku torbę mają —
Swoje dzieci w niej trzymają.

Kieszeń

Dorota Strzemińska-Więckowiak

Różne skarby kieszeń mieści.
Czasem głośno w niej szeleści
Ścinek folii lub papierka
Zjedzonego już cukierka.

Jesienne skarby

Dorota Strzemińska-Więckowiak

Na jesieni skarby zbierz.
Co z nich zrobić — dobrze wiesz.
Z jarzębiny — koraliki,
A z kasztanów pajacyki.

Budzik

Dorota Strzemińska-Więckowiak

Co przy łóżku głośno tyka?
To wskazówki od budzika.
Gdy zadzwoni — koniec spania,
Teraz nadszedł czas wstawania!

Pingwiny

Dorota Strzemińska-Więckowiak

Są na świecie duże ptaki —
Czarno-białe noszą fraki,
I poważne robią miny —
Z Antarktydy to pingwiny!

Znaczki na listy

Dorota Strzemińska-Więckowiak

Kolorowe, małe znaczki,
I na listy, i na paczki,
Zawsze mocno przyklejamy,
Gdy je komuś wysyłamy.

Wydanie I

Teksty wierszyków:
Dorota Strzemińska-Więckowiak (strony 34–63)
Maria Konopnicka (strony 22–28)
Stanisław Jachowicz (strony 29-32)
Ignacy Krasicki (strona 33)

Ilustracje i projekt okładki: Mariola Budek
Skład i przygotowanie do druku: Marcin Korolkiewicz

Korekta: Natalia Kawałko, Elżbieta Wójcik

Wydrukowano w Polsce

Wydawnictwo SBM Sp. z o.o.
ul. Sułkowskiego 2/2
01-602 Warszawa
www.wydawnictwo-sbm.pl